978-750-4375 735

AF201655

以梦之名，且歌且行

“蜀山”剑侠手账

目录 contents

目录

contents

以梦之名，且歌且行

文/刘小枫
（江苏稻草熊影业有限公司总经理，《蜀山战纪之剑侠传奇》出品人、总制片人）

小时候听评书，说书的先生常常一拍惊堂木，说道："花开两朵，各表一枝。"这是在说故事分了两条线索，咱们一个一个地说。

"蜀山"这个大IP分了好几头，有电视剧、手游、页游、音乐、图书、衍生产品，等等，光是电视剧就有两个版本，一个是2015年9月22日开始在爱奇艺VIP频道首播的电视剧《蜀山战纪》，还有一个是2016年寒假在安徽卫视、江苏卫视、江西卫视陆续和大家见面的《剑侠传奇》，这是孪生兄弟俩，一朵双生花。

2012年，我和吴奇隆合作完电视剧《新白发魔女传》，吴奇隆就跟我说，希望做一个原创的故事，进行全产业链的运营。吴奇隆的确具有很强的前瞻性和商业眼光，因为那时候还没有IP的概念，更没有谁会预见到几年后这个概念会被炒得如此火热。

古装仙侠类题材被我们确定为最方便进行产业链上下游运作的方向，"蜀山派"被称为仙侠类第一名门正派，写“蜀山”的故事顺理成章地成为我们的第一选择。我们为此商量了很多个名字，然后一个一个地去网上查，最终确定用“蜀山战纪”这四个字。因为这几个字是没有被任何人注册过的。2013年，我们的导演黄伟杰开始构思故事，并找编剧创作。2014年7月份开始洽谈主演。毫无悬念，吴奇隆是我们确定的第一个演员，只是那时候，我们设定吴奇隆来演男一号，当时就与我们在接洽的爱奇艺也是建议吴奇隆演男一号。吴奇隆却出人意料地选择出演反一号“绿袍尊者”，一来他觉得绿袍这个角色亦正亦邪，更吸引他，二是他希望把男一号的角色让给更加年轻的演员来出演，他更愿意在这个案子中做绿叶。

大的选角思路确定后，后面男、女一号的确定很顺利，我们看过赵丽颖的《陆贞传奇》《杉杉来了》，知道她的演技很棒。赵丽颖当时已经很红了，很多大戏在找她。约谈小赵是在一个晚上，小赵收了工在一个酒店和我们见面，有吴奇隆这样的前辈邀约，加上故事、人物都很吸引她，小赵爽快地答应出演了。当时《古剑奇谭》正在热播，剧中大师兄的饰演者陈伟霆成为我们心仪的男一号人选。他的经纪人林晋诺先生本身也是一位优秀的制片人，他们看了我们的剧本和演员配置，也很快就签约了。

2015年1月29日，《蜀山战纪之剑侠传奇》在横店开机，2015年6月初，该剧在广西杀青，拍摄地横跨了大半个中国，拍摄时间也历经春夏冬三季，其中辛苦自不必说，但对稻草熊公司来说，这才走完了产业链上的第一步。

有不少朋友问过我，觉得做全版权产业链最大的难点是什么？的确，从梦想到现实，除了需要强大的协调力和执行力之外，要让影视产业链上的各个产品产生协同效应，最大的现实难点是要提前明确一个时间点——“产业链上各个产品上线的时间点”。换句话说就是首先要确定好播出平台的时间，如果影视剧播出时间确定不了，产业链上的其他环节到底什么时候开始运作，就会显得很窘迫。

比如说游戏，开发就要半年以上时间。如果播出时间掐不好，导致电视剧播出了，游戏没出来，或者游戏出来，剧还没播，这都是很悲催的。只有确定播出时间，才可以返过头来做很多产业的操作。而在“蜀山”这个大IP的运作上，我们首先确定下来的是爱奇艺的播出时间和首轮上星卫视安徽卫视的播出时间，确定好这个时间后，我们才有可能对诸如游戏、图书、衍生产品等需要其他合作方来配合的产品做一个倒计时的规划。

所以读者朋友们现在看到的这套图书也是“蜀山”这个产业链上的一份子，除了小说实体书，大家还会看到一个番外篇，这是与我们早先在各大电子书平台连载的小说网络版不一样的地方，这又是另外一朵双生花。

当然，小说和电视剧的表现手法和体验也会不同，小说中有很多心理描写、场景描写以及背景性的交代，与电视剧形成良好的互补关系。虽然在《新白发魔女传》的时候，我们公司做了电视剧，做了游戏，也将电影的版权授予给了保利博纳，甚至在这部电视剧热播的时候，淘宝上疯狂销售剧中吴奇隆送给马苏的定情礼物——一个小铃铛，这些都让我们主动或是被动地与由一个故事衍生出来的其他产业发生各种联系，但“蜀山”对于我们公司来说，是真正意义上的全版权产业链尝试。我们在这个尝试中，探索和感受着互联网时代下文化创意的全新玩法，与各界人士进行跨界资源整合。

我们能够取得这些小小的成绩，要感谢许多人。

感谢爱奇艺的创始人、CEO龚宇先生，是您慧眼识珠，在“蜀山”项目的起步阶段即鼓励我们，并马上用实实在在的合约支持我们，谢谢您和爱奇艺！

感谢安徽卫视的副总监吴秀兰女士，没有安徽卫视的支持就没有“蜀山”“先网后台”的播出模式，谢谢您的眼光，谢谢安徽卫视先行的勇气！

感谢产业链上的每一位伙伴，让我们一起探索，一起前行，一起成长！

最后，谢谢我的合伙人、好搭档吴奇隆先生！你是这个IP的灵魂人物！

2016年，“蜀山”的第一部影视剧开始收获，而在这一年，我们又将撒下第二部的种子。希望通过我们的努力，“蜀山”不仅开花，还能够长成一棵参天大树，结出更多更茂盛的果实——为了你，看到这本书、这部剧、这一切的你！

我是小张，张馅饼

文/叶祖新
（小张饰演者）

《蜀山战纪之剑侠传奇》播出后，我就在微博上看到有网友说：“怎么有一个这么随便的名字呢？”是啊，我演的角色叫“小张”，再具体一点的名字就是“张馅饼”。我问过导演为什么给这个角色起了这么个名字，原来是导演和编剧们的刻意为之。

小张没有武林侠客那么酷炫的名字，他就是芸芸众生，有着再普通不过的名字，有着简单快乐的价值观，但他却卷入到一场因赤魂石而起的江湖纷争中，更是陷入一场虐恋，还成为了赤魂石的传承者。我们这个戏的主题是“正邪一念间，爱恨两相难”，小张的角色设定也正说明了这一主题——人都有七情六欲，你最终成为什么样的人，也许仅仅就是一念之间。

我很喜欢小张这个角色，表演起来也很过瘾，有耍宝搞笑的一面，也有痛不欲生的一面。当然“蜀山”这部戏还给了我献唱第三季片尾曲《我就说我》的机会，丰富了我的演艺经历。希望你们喜欢我饰演的角色，喜欢我演唱的歌曲。

《蜀山战纪之剑侠传奇》即将登陆安徽卫视，“蜀山”超级大IP中的游戏、图书、音乐等也都要全面上线，我很荣幸能成为这个超级大IP的参与者。谢谢隆哥、谢谢刘总给我这个机会，谢谢所有人的努力。天道酬勤，我会继续拍好戏，回馈所有喜爱我的人、支持我的人！

高能预警，大BOSS来袭

文/樊少皇
（公孙无我饰演者）

公孙无我是一个悲剧人物，少年时的无我是蜀山三杰之一，地位和武功远在大师兄驭我和师弟警我之下，师父把疼爱给了大师兄，师妹把爱情给了师弟。在后来的二十四年里，大师兄驭我常年在凝碧崖闭关修炼封印，公孙无我就成了蜀山的挂名掌门，在无爱情无实权的双重打击的二十四年中，这个大好青年竟成了一个可怕的魔鬼，那问题来了——警我和丁隐都曾经身附赤魂石，但是为什么公孙无我身附赤魂石后，魔力比他们都更彪悍强大呢？我要卖个关子，请自行观看《蜀山战纪之剑侠传奇》寻找答案！

公孙无我这个角色，扮演起来一开始确实有点沉闷，因为编剧、导演都刻意隐藏他的存在，让观众不太在意这个人物，然后慢慢掀开“山中人”的面纱。到了后面部分，完全是沉睡的火山，一触即发！所以对于我来说，到最后爆发魔性的演绎是最爽、最痛快的一刻！

感谢出品方刘总（刘小枫）、隆哥带给我这个既能挑战演技又有趣的角色。台前幕后的工作人员都是多次合作的伙伴，所以拍“蜀山”如同又一次大家庭聚会一样，我很期待下一次的合作。如果下次让大BOSS也来段感情戏，一定更精彩，因为除了武戏，感情戏也是大皇的强项！嘻嘻。

长情却又悲情，我爱这个角色

文/贾晓晨
（屠媚饰演者）

我想这样总结我饰演的角色屠媚——红唇媚眼笑中原，泪血摩挲红丝连，千古百爱回眸是，赤胆痴心生死间。

一个笑看红尘、潇洒自如的仙主，要名有名、要神功有神功的女子，还帮助兄长打入中原武林，称霸中原，得到任何东西，对她来说都是易如反掌。然而在她不到二十岁时，偏偏一个影响了她一生，又是命中注定的男人出现了！他是如此潇洒，如此与众不同，与她往日所见的内心险恶的中原人是那么的不一样，他有时很像自己，有时又那么神秘。那一刻的相遇，如同千百年的等待，如同前世的安排！

他与她相约下次见面，她万分激动、万分期待，再次相遇时她许身于他！因为屠媚的性子就是有酒就喝，有真爱就要许，当然她觉得对方也是这么想的，因为他喝下了她准备的酒。

然而她万万没有想到的是，这一切竟是一个安排好的阴谋，她只是这场阴谋的一枚棋子！当她兴高采烈地带着心爱的男人去见兄长屠霸时，那个男人的阴谋被兄长当场拆穿，原来此人是蜀山派的上官警我——他想利用自己的信任混入阴风谷，从而一举消灭自己和大哥创下的大业，那些爱意全是假的，屠媚顿时爱恨交织！

多年后她再次遇到身负重伤的上官警我，由于她对警我的痴恋盖过了一切，所以她不仅救了他，原谅了他，并利用自己的人脉和势力与他一手创立了烈影神宗，且甘居副宗主之位，只期望有一天警我会娶了她。她就是这么一个一心一意做她爱的男人的女人！

然而天意弄人，这二十几年来，警我却跟她一样，心中始终不忘另一个已死去的女人，并在当年欺骗她之后与这个叫素因的女人有了一个女儿。于是屠媚对素因恨之入骨，而他们的女儿玉无心的存在更总是提醒着屠媚——警我的心去了那里！但是，素因早已去世，所以她仍对警我与自己的爱抱着一线希望。

屠媚的一生都是愿意为警我付出的，甚至可以背叛自己唯一的亲人——大哥！却最终发现，原来这些年她一直存活在谎言之中，那个让警我念念不忘、多年前已死去的素因其实根本没有死，甚至警我还让她易容成素因的样子！

屠媚崩溃了，警我原来从来没有爱过她，只有欺骗！她无法接受这个事实，万念俱灰，一心求死，最终死在了她爱了一辈子、守了一辈子的男人怀中！临死前，她说出了一个放在心中二十几年的秘密……

此刻的我，现实中的我，心里堵塞难过！如同拍摄她生命最后一刻时的心情一样，心中的眼泪已经淹没了一切！

警我爱不爱我、骗不骗我已经不再重要，因为我即将离去，离开这个让我痛心的世界，这个让我痛心的男人！然而，我却还是很爱他——没关系，我去另一个世界，那里有我们曾经来过的孩子……

希望大家喜欢《蜀山战纪之剑侠传奇》这部戏，希望也会喜欢屠媚这个痴情、悲情却开朗的女子！这是我所演的角色中最让我感动的一个，现实中也是拍得最愉快的一次！内心真的好感谢这次经历！隆哥的专业、热心、对大家的好，是我亲眼看到，亲身体会到的，他真的像亲大哥一样！

导演们表面上很酷，其实一个个比女孩子还感情丰富，我不止一次看到黄伟杰导演面对着显示器哭起来（偷笑）！当然还有，我记得非常清楚的一个电话，是老板之一刘小枫打来的，他说："晓晨，有档期吗？有部大戏，叫《蜀山战纪之剑侠传奇》，想找你拍！"于是，我的人生就这样改变了！

挨骂是我最大的安慰——诸葛紫英的出厂设置

文/刘思彤
（诸葛紫英饰演者）

在一部电视剧中必须有传统意义上的好人与坏人形成敌对关系才能产生矛盾冲突，在好人中又分纯好人与不纯的好人。如何在“蜀山”这部万众期待的仙侠剧中演好这个不太纯粹的好人，成了我最大的难题！

首先她不是反派，而是在正派角色里担负着反派角色的任务，这种角色的设置先天就决定了她一定是不讨巧的。而且为了剧情的合理发展，她必须是不讨巧的，她的存在相当于引起事件的导火索和某些事件的催化剂，以此来推进剧情的发展。如何把这个不讨巧的角色演绎到位，并且找到这个角色存在的闪光点，这是饰演这个角色最大的课题。

紫英这个角色虽是古装剧的人物设置，但编剧和导演告诉我要按照现代女性的特点来理解她。首先她是蜀山的山花、掌门独女，搁现代那就是“官二代”加“富二代”，能不骄傲吗？能没脾气吗？其次她男朋友是蜀山大师兄、掌门接班人，但草根出身，搁现代就是传说中的“凤凰男”，能没压力吗？能没苦衷吗？这俩人的恋爱搁现在，用一首老歌来形容就是——《爱与痛的边缘》。

为了顾全大局只能牺牲小我，导演对我说这部戏让人讨厌你就对了，越多人骂你证明你越成功！按目前的播出情况来看，我终于可以放下这颗悬着的心，果然“不辱使命”，紫英成了大家集体吐槽的角色！但面对汹涌澎湃的吐槽，有的甚至是恶意谩骂，说实话对于演员来讲，心里确实很不舒服。辛辛苦苦、认认真真创作的角色能得到观众的认可是演员最大的安慰，虽然早就做好了心理准备，就是奔这个目的去的，但当被唾沫星子淹没之时还是忍不住伤感。

吴奇隆的鼓励就像向沉沦汪洋大海中的我抛出的救生圈，让我一下子看到了重生的希望。他说："你能演活《新白发魔女传》中的铁珊瑚，让那么多'粉丝'喜欢你，也能演活'蜀山'中的诸葛紫英，让那么多观众讨厌你，你的演技我认可！"

作为同行，作为十多年的好朋友，作为一个没有血缘关系却对自己亲如家人的大哥，他能感受到我的落寞，能感受到作为演员心里的那份隐痛。这时的肯定是我最需要的，也是最有力的！

与我有过多年合作的制作人刘小枫也特意打来电话对我说："思彤，什么角色交给你，我都放心！"

除了感恩，我找不出还能有什么词汇来表达我内心的感受……（此处省略一万八千八百八十八个拍马屁专用词汇，请读者自行"脑补"发挥！）

的确，紫英是自私的，是骄纵的，是以自我为中心的，但她也是善良的、真实的，是被爱宠坏的……你们没发现她像极了你我身边的她或他吗？作为独生子女的一代，我们在父母的宠爱中长大，走入社会后才体会到分享的快乐。谁能说自己内心没有过骄傲，谁打小不是家庭的中心，谁又不想嫁个好老公呢？在择偶条件上谁不想选个潜力股、绩优股，好不容易选到了，谁不得精心培养、努力维护？紫英是可恨的，但同时她也是可怜的，当她在体会了被欺骗、被利用，尝了自己亲手酿下的苦果之后，她懂得了珍惜和感恩，更懂得了报答与牺牲……

希望所有的观众朋友在吐槽她的同时也能从这个悲剧角色身上吸取教训，有所感悟。爱不是你给对方压力的理由，不是所有的"我是为你好"都是对方想要的。在爱情关系中的上风并不是说你得强势，而是对方比你更懂得包容，爱他就给他自由吧，捆绑束缚的爱一定不会长久。爱是不计回报的付出，学习如何去爱，是我们终其一生的功课！

我要多多向隆哥学习打戏经验

文/武馨羽
（晓茹真人饰演者）

初见晓茹真人，玲珑剑法加身，入蜀山执掌栖霞峰，一身正气，武功高强，悉心教导一众蜀山弟子，时时自省，处处修身，学高为师，身正为范。

面对因赤魂石导致的蜀山之争，晓茹真人明了于心；面对师兄弟间因爱因利的争斗，她已无法用一己之力力挽狂澜，只得尽为师之道引导丁隐明是非、分善恶、辨真伪、断曲直。这唯一的男弟子丁隐，因赤魂石在身，必须一心保持正义之念，晓茹真人悉心引导，格外用心。

对待弟子们，她时而是严师，时而如母亲般慈爱。唯独对待自己的感情，晓茹真人始终无法勇敢正视。蜀山情情怨怨她已见得太多，加上她把更多的心力用在弟子身上，反而委屈了自己的心中所爱。

一个痴心追赶，一个半推半就，这种情感使得晓茹真人和妙一成了一对令人啼笑皆非的欢喜冤家。妙一的意外离世，让晓茹真人深感痛心，悔恨当初没能珍惜在一起的时光。她更加坚定地守护蜀山，希望以此作为对妙一的缅怀。她最终把蜀山掌门令传给了自己心爱的弟子青云，让青云来接替自己把蜀山精神传承下去，发扬光大。

我是武术最高级别健将级运动员，一直都非常喜欢古装武打戏，这次有幸和隆哥切磋武艺，感慨颇深。隆哥的节奏，还有腾空翻转都相当厉害，全都自己独立完成。我要多多向隆哥学习打戏经验。

最后想说的是，我有幸参加“蜀山”这部大戏，感觉相当自豪。我们的剧组，像一个快乐的大家庭，一起运动，一起开工，伟霆和少皇秀现代摇滚吉他和古典吉他弹唱的场景，常浮现在我的脑海里。那样的四个月，无处不在的欢声笑语，令我永远难忘！

我是幸福并且幸运的女孩儿

文/余玥
（屠梦饰演者）

屠梦，一个如梦似幻的名字，一副娇弱虚寒的身躯，着实很难让人想象她是魔宗的后代。看完剧本我脑海中对屠梦便有了“出淤泥而不染，濯清涟而不妖”的感受。

作为绿袍宗主的大女儿、魔宗的后代，她从未感受过母爱，却被善良仁爱的医仙师父教导成长；本以为自己在这世上无依无靠，却意外认识了同父异母的妹妹并与生父相认，可以说她无疑是位幸福的女孩儿。

当然，对我来说，我亦觉得我是位幸福并且幸运的女孩儿，因为不仅有父母亲友的宠爱，还能在“蜀山”里向众多前辈拜师学艺，与他们交流学习，这对于初出茅庐的我来说真的很难能可贵。

没有小角色，只有小演员

文/黄世超
（柱子饰演者）

拍完“蜀山”也有将近九个月之久，其实最大的感受并不在当下，而是进入下一部戏的时候我才反应过来，原来在拍“蜀山”的时候自己的磨练跟老板每一次在现场的教导都记得特别深刻。有一次拍的是丁隐与青云求晓如真人救小张，那场戏我们在现场，隆哥也来了，当时隆哥告诉我：“每一场戏都不要忘记对自己角色的认识跟设定，还原人本身最真实的反应，并琢磨如何更好地反馈给镜头前的观众。”这句话在我后来拍其他戏时都十分受用，使我更深层次地去研究剧本里的角色、角色里的自己。

我一直没有说其实我十分感恩能进入“蜀山”剧组学习，这个过程让我有很多时间去研究他人在镜头前如何更松弛地诠释角色，发现他人优点并吸收再转化成自己的。

没有小角色，只有小演员！感激老板的每一次教导，感谢黄导、祖新哥、思彤姐的照顾。因为有“蜀山”的拍摄经历，才让我渐渐明白如何成为一个更好的演员。日后还有很长的路要走，感恩自己曾拥有过这样的机会。

我完全入戏在“蜀山”中

文/杨世瀚

（小五饰演者）

拍摄“蜀山”的三个月是我人生中非常难忘的日子。记得从最开始在公司试镜，到争取到小五的角色，过程都很兴奋。在横店、无锡的这段时间，我学到了很多东西，虽然我的戏份不多，但我完全入戏在“蜀山”中，完全体验角色，并且非常喜欢自己的古装扮相。

非常感谢隆哥给了我这次机会，能够

参与这样一部大制作、大情怀的戏，并有机会和很多专业演员朝夕相处，让我受益匪浅。摄影欧阳哥精湛的摄影技术让我们这些年轻演员瞠目结舌；黄伟杰导演精准清晰的分镜、现场对我们的指导和对各种场面的把控，更是让我感受到大导演的气魄和专业；隆哥在紧张的拍摄中，还不忘关心我们，经常提点我们演戏如何拿捏得恰到好处，让我们在角色中有了不同的体验和提高。

2015年已经过去了，我很怀念它，更怀念在“蜀山”的日子，希望“蜀山”的弟兄姐妹和各位老师都健康平安。

“蜀山”就像是一个长辈

文/张思帆

（二虎饰演者）

对我而言，《蜀山战纪》就像是一个长辈，人生第一部参演的电视剧是《蜀山战纪之剑侠传奇》，并让我在当中学习到很多东西，我感到很荣幸。

每次隆哥的戏，我们都会用心地去观察他表演上的每一个细节。休息时，隆哥也会耐心地给我们新人讲戏，告诉我们眼神的感觉，还有对于机位的处理，把他的经验传授给我们，亲和细心得就像一个知心哥哥，让我们每一个人都受益匪浅。

在我自己的拍摄中，记得有一场群马奔腾的戏，几十人一起骑着马从山上俯冲下来，我硬着头皮没用替身，第一次骑到马背上，过程中几次差点落马，连马鞍都抖掉了，但最后我做到了，我不仅挑战了自己，也学会了一项新技能。

感恩“蜀山”，感恩老板隆哥的谆谆教导。走心的，一切尽在不言中……

圆梦“蜀山”

文/潘晨
（小说改编者）

基本上，我算是武侠情结比较深的那种人。少年时期读金庸、古龙，不忍释卷，长大些就有看司马迁的《游侠列传》、庄子的《盗跖》。对于像江湖、庙堂、游侠这些概念，本身就有一种热血般的情怀，有时候会若有所思，一副慷慨悲歌的样子；有时候又会HIGH呀HIGH的，拿着根晒衣叉也觉得刃如白霜。

说到“蜀山”系列跟还珠楼主，其实那又是一个话题。因为它不单是武侠，套用现在流行的说法，这个IP应该是“武侠+”。它融合了神话、志怪、剑仙、武侠于一体，进行高度哲理化、艺术化的想象发挥，各种剑仙神术、奇幻法宝，简直是奇情瑰丽、波澜壮阔。但它的精髓，依然是“言必行，行必果，诺必诚，赴士之厄困，既已存亡死生矣，不矜其能，羞伐其德”的武侠精神。说“蜀山”系列是当代武侠的开山作，那真的毫不为过。

动笔之前，我看过“蜀山”的剧本，当时就击节叫好，兴致勃勃地笔耕不辍。和编剧老师精心打磨一部剧本相比，我所做的事情——进行近60万字的小说创作——实在是微不足道的了。但不管怎么讲，于我而言，总算有一次圆“武侠梦”的机缘，真是很高兴。

特别感谢吴奇隆先生、刘小枫先生对我的信任，感谢凤凰悦世泓文和湖南魅丽优品可以出版这部小说，感谢在写作过程中，黄伟杰导演对我的耐心指导。如同吴奇隆先生曾经在他的微博中所说过的——全力以赴做一个好故事，我庆幸自己能为这个好故事贡献一份力。

关于"蜀山"，你必须知道的10件事

文/黄伟杰

（香港著名导演，代表作有《天涯明月刀》《犀利仁师》《我和僵尸有个约会》等）

1. 诸葛警我+绿袍=绿袍尊者？

吴奇隆饰演的角色在还珠楼主的原著里叫诸葛警我，他在里面的戏份不多，因为受到妖女诱惑而背叛名门正派，最终被正派诛灭。而原著中绿袍是一个杀人不眨眼、头大心小的侏儒。现在"蜀山"这版把这两个人物结合起来，而且还是雌雄同体的人，这是导演和吴奇隆做的一个尝试。

2. 丁大力差点叫丁蟹？

丁隐在郑少秋版的"蜀山"电影中是叫"丁引"，导演从小就非常喜欢看香港的武侠片，喜欢郑少秋，自然就想把这版"蜀山"男一号的名字起得跟郑少秋版的一样。但因为这个故事中的丁隐是一个被诸葛驭我将他本来身份隐藏起来的人，而他同时又是万恶之源的引子，于是取了"引"的谐音，叫"丁隐"。

不过你知道吗，导演差点把丁隐之前的名字"丁大力"起为"丁蟹"。作为郑少秋的"死忠粉"，导演想到秋官《大时代》中的角色丁蟹，他想让秋官之前演的角色让20

世纪90年代的小鲜肉来传承。

可惜丁蟹效应（又称“秋官效应”）是股票市场的一个奇特现象，郑少秋从1992年在《大时代》中饰演丁蟹开始，凡是播出由郑少秋主演的电视剧、电影等，恒生指数或A股均有不同程度下跌、股民损失惨重的现象发生。陈伟霆的粉丝们觉得自己的偶像演一个叫“丁蟹”的角色不吉利，导演也就作罢了。

3. 活宝小张的名字，为了表达故事主题？

“小张”这个名字是剧中少有的非常普通的名字，其他角色的名字都很酷炫，很有武林中人的感觉。“小张”这个名字就是一个大众化的设置，导演想表达的是，他就是一个很善良的普通人，很可爱很会耍宝。

但无论是普通人还是武林中人，是正是邪都只在一念之间。最后赤魂石的传承者是小张，就是为了表达“正邪一念间，爱恨两相难”的主题。

4. 剧中服装有哪些小心机？

主创们的服装融合了不同民族的风格，我们现在看到的“蜀山”中的衣服就是跟传统“蜀山”那种仙气飘飘的风格完全相反，这不是为了反传统而反传统，是有剧情上和美学上的考量才会有这样的决定。

比如说，蜀山派是一个保护武林最大的门派，如果衣服都是仙气飘飘的那种，就会很没有质感，相反，我们的“蜀山”，它里面的衣服就显得有质感、有力度。

如果大家细心看的话，不难发现蜀山派的制服有些像中欧军队军服的感觉，魔宗一派的制服则有些印度、泰国的元素在里面。导演觉得中国的电视剧和电影里面很少有这样大胆的设计，所以他决定尝试，这也是希望给观众带来新鲜感。

5. “万万没想到”的“紫青双剑”？

这次的兵器都是找专业团队专门设计、根据角色的个性和人物造型量身打造的。举个例子，大家看到吴奇隆饰演的绿袍的手臂，这对于动画的质感要求很高，最后大家看到的实际样子都是反复实验后出来的效果，这是为了要震撼大家的感官。

说到兵器就不得不提“紫青双剑”，它其实算是蜀山里一个很重要的符号。观众想起蜀山通常第一印象都是血魔，然后就是紫青双剑。传统意义上的“蜀山”，说白了就是紫青双剑对付血魔的故事。所以《蜀山战纪》额外设计了一种兵器——血饮刀，它就代表了血魔。

再谈谈紫青双剑。倪匡改编过一个“蜀山”，他起的名字就叫《紫青双剑录》，可见紫青双剑在“蜀山”里的意义。导演在新版里面玩了一个花招，就是这两把剑出现之前，两位女主角——诸葛紫英和周青云使用的兵器就是双剑。这也算是一个小小的突破，而且双剑平时只是两个剑柄挂在腰间，视觉上很像西部牛仔的双枪，演员拔剑出来的招式就会很酷，很有现代感。血饮刀也是一个特别的设计，跟传统武侠片的兵器有所不同，它平常的形态是一个图腾挂在主角身上，使用时才会幻化成真。

6. 《蜀山战纪》折射职场江湖？

十年前，导演就与吴奇隆讨论过拍摄“蜀山”的故事，只是十年后，才是天时地利人和的最好时期。所以可以想到，这个故事融入了导演、吴奇隆和主创们多年来的人生感悟。有人的地方就有江湖，导演说，当你看到“蜀山”的时候，会不会觉得无论是警我、驭我、无我，还是丁隐、小张、玉无心、素因，都能从你的周遭找到他们的影子？

7. 拍摄手法向香港二十世纪八九十年代武侠片致敬？

导演是深度“香港武侠片控”，拍武侠片也是他的职业追求。不同于其他仙侠剧，《蜀山战纪》的画风、演员造型、拍摄手法都有些许的怀旧感。导演是用传统武侠片的处理方法来讲一个新的故事，尤其是在拍绿袍、素因等上一辈人的戏时，有舞台剧风；拍丁隐、玉无心等年轻人的戏时，就比较活泼、随意、有生活感。

当然，该剧主题“正邪一念间，爱恨两相难”在导演看来，是一个比较传统的主题，而他选择的拍摄手法也是为了契合主题。

8. 陈伟霆曾表示导演在拍摄打戏时给了他很大的空间，剧中打戏是怎么设置的？

吴奇隆本身就是一个动作演员，戏里面基本上所有高难度的动作都是亲自完成。再说说饰演丁隐的陈伟霆，他本身是歌手出身，跳舞很好，导演发现他这个特质之后，就在他的武打动作里面加了一些有关舞蹈的元素，舞蹈和武功相结合也还蛮有新意的，希望粉丝们会喜欢。

这种玄幻类的武侠动作片会比较依赖特效来呈现，如果特效做得不好的话，对于武打的分数就会有影响，也不能完全展现演员的动作身段，这种情况就像20世纪60年代中国香港的武侠电影里那种状态。说白了现在拍武侠戏就是科技比较发达，骨子里都是一样的东西，但是武术导演陈伟滔先生会把动画和动作结合得很好，既能表现演员硬拳硬脚的动作，也有高科技的特效。

9. 夸吴奇隆，真的不是“拍马屁”哦！

导演说“谈谈与吴奇隆的合作”这是被问了很多次的问题，他都是发自内心地夸吴奇隆，而绝对不是拍马屁！

导演与吴奇隆合作了七八部戏，算起来认识也有十五年了。在老朋友看来，吴奇隆在他事业的每一个阶段，工作态度都是一样的，从来没有变过。比如一样工作准时，一样没有怨言，一样敬业、不遗余力地教后辈，一样对戏的把握很到位，对剧本也很有想法，但他不会很强势，有商量空间。

转型成老板的吴奇隆，相比之前纯粹做演员的时期，会开始注重商业操作上、人脉上的考量，对创作会有些不一样的想法，有时候会与导演、演员想的点不同，毕竟老板的着眼点会有不同，所以会有不一样的意见，不过都能沟通好。

10. 导演说他的梦想不太可能实现？

导演的梦想是，在没有商业压力的情况下，拍一个自己最想拍的故事，但是他觉得这仅仅是梦想。

我们所有的努力只为了你

看到这本书

这部剧

这一切的你